난 찬성하지 않아요

브리지뜨 라베는 작가입니다. **피에르 프랑수아 뒤퐁 뵈리에**는 소르본 대학에서 철학을 가르치고 있어요. **자크 아잠**은 일러스트레이터로 〈철학 맛보기〉 시리즈의 모든 그림을 그렸으며, 만화도 그리고 있습니다.
이 책을 우리말로 옮긴 **이영희** 선생님은 프랑스 브르타뉴 남 대학교에서 현대 출판학 석사 학위를 받았고, 헨느 대학에서 조형 미술학 박사 과정을 마쳤습니다. 지금은 프랑스 르망 대학교 어학당에서 한국어를 가르치며, 전문 번역가로 활동하고 있습니다.

철학 맛보기 25 난 찬성하지 않아요 — 찬성과 반대

지은이 · 브리지뜨 라베, 피에르 프랑수아 뒤퐁 뵈리에 | **그린이** · 자크 아잠 | **옮긴이** · 이영희
첫 번째 찍은 날 · 2014년 1월 15일
편집 · 김수현, 문용우 | **디자인** · 박미정 | **마케팅** · 임호 | **제작** · 이명혜
펴낸이 · 김수기 | **펴낸곳** · 도서출판 소금창고 | **등록번호** · 2013-000302호
주소 · 서울시 마포구 포은로 56, 2층(합정동) | **전화** · 02-393-1174 | **팩스** · 02-393-1128
전자우편 · hyunsilbook@daum.net
ISBN · 978-89-89486-85-5 64860
ISBN · 978-89-89486-80-0 64860(세트)

D'ACCORD ET PAS D'ACCORD
Written by B. Labbé, P.-F. Dupont-Beurier and J. Azam
Illustrated by Jacques Azam

철학 맛보기 ㉕ 찬성과 반대

| 브리지뜨 라베 · 뒤퐁 뵈리에 지음 | 자크 아잠 그림 | 이영희 옮김 |

철학 맛보기의 메뉴

싫어!

다 내 마음대로 하래

"축구하러 갈래?"

"응, 그래."

"아니면 다른 건 어때? 카드놀이 할까?"

"그래."

"카드 맞추기 놀이나 블루마블 게임은?"

"네 마음대로 해."

"음… 그러면 카드 맞추기 놀이 하자."

"그래."

"날씨도 좋은데, 우리 정원에 나가서 할까?"

"좋은 생각이야."

"그런 다음에 영화 보러 가자."

"좋아."

"난 애니메이션 영화가 보고 싶어. 넌 어때?"

친구 옥타브가 무슨 대답을 할 건지 말 안 해도 다 알겠죠? 레옹은 정말 짜증이 나요.

"저 옥타브 때문에 미치겠어요. 무슨 말만 하면 그저 '응'이래요. 뭐든 제가 하자는 대로만 해요. 이제는 지겨워요."

어제 저녁, 레옹은 부모님한테 불만을 털어놓았어요.

레옹은 여러 가지 일에 대해 말하는 걸 좋아해요. 정

치나 여자아이들, 선생님, 음악 그룹들, 혹은 고래 멸종에 관한 이야기 등등이요. 그런데 옥타브랑은 대화를 할 수가 없답니다. 옥타브는 늘 레옹이 하는 말에 찬성만 하니까요. 레옹은 옥타브와 이야기하는 것이 지루하고 재미없고 심드렁해요. 레옹은 옥타브가 제발 한 번만이라도 이렇게 말했으면 좋겠어요.

"야, 난 네 생각에 반대야."

그러면 뭔가 달라질 것 같아요!

오늘 저녁에 음악회는 없어요

피아노 연주자가 갑자기 연주를 멈추더니 벌떡 일어나서 말해요.

"아니, 아니, 그게 아니라고. 네가 너무 빨리 시작한다니깐. 우리 처음부터 다시 해 보자."

그러자 가수가 이렇게 대꾸해요.

"내 생각은 달라. 네가 너무 느린 거지."

이어 트럼펫 연주자가 말해요.

"난 말이야, 음악이 좀 더 느려야 한다고 생각해."

기타 연주자도 한마디 거들어요.

"그건 좀 아니다, 음악은 리듬이 있어야지."

드럼 연주자가 중재를 하고 나섭니다.

"어휴, 지금 리듬에 대해서 말하는 게 아니잖아!"

바이올린 연주자는 소리를 꽥 질러요.

음악가들 모두가 각자의 의견을 가지고 있어요. 당연한 일이지요. 음계 하나도 각자가 해석하는 방법이 다르니까요.

가수는 팔짱을 낀 채 말해요.

"이렇게 노래하는 건 내 마음이야."

"이렇게 연주하는 건 내 마음이야."

피아노 연주가가 말해요.

"이렇게 연주하는 건 내 마음이야."

기타 연주자도 말해요.

“이렇게 연주하는 건 내 마음이야.”

드럼 연주자가 말해요.

“이렇게 연주하는 건 내 마음이야.”

바이올린 연주자가 말해요.

“그래서 뭐 어쩌자고?”

트럼펫 연주자가 따져 물어요.

연습장에 무거운 침묵이 깔립니다.

모두가 자기 생각대로만 한다면 앞으로 어떤 일들이 벌어질까요? 마치 문을 꼭 걸어 잠근 채 아무도 들어오지 못하게 하는 것처럼 자신의 의견에만 갇혀 있다면 어떤 일들이 벌어질까요? 아무것도, 아무런 일도 이루어지지 않겠지요. 음악도 없고 연주회도 없겠지요.

1,523 더하기 96은?

"1,519요."

스테파니가 대답했어요.

"아니요, 1,618입니다."

라울이 소리칩니다.

"1,619예요."

아델이 손을 들고 말했어요.

선생님이 정답을 칠판에 적었지요.

1,619.

"저는 찬성 못 하겠어요."

포스틴의 말에 반 친구들이 모두 웃었습니다.

"포스틴, 그만해!"

선생님이 무서운 목소리로 말했어요.

포스틴이 이렇게 말하면 안 된다는 건 누구나 잘 알

지요. 덧셈 같은 수학 문제는 단 하나의 해답이 있으니까요. 세상 어디를 가도 그 대답은 단 한 개뿐이지요. 수학에서는 답을 찾는 데 크게 문제될 게 없어요. 답은 정해져 있고, 정답을 맞추는 사람과 틀린 답을 내놓는 사람이 있을 뿐이지요.

역사 시간에 포스틴은 또 반대를 하고 나섰어요.

선생님이 나폴레옹에 대해 한참 설명을 하시는데 포스틴이 손을 번쩍 들었어요.

"저는 선생님께서 말씀하시는 것에 동의하지 못하겠습니다."

순간 교실 안에 무거운 침묵이 흘렀어요.

반 친구들은 속으로 포스틴이 벌을 받지 않을까 생각하고 있었어요.

그런데 포스틴은 벌을 받지 않았어요.

선생님은 인간 세상은 숫자의 세계와는 다르다는 걸 잘 알고 계시죠. 누가 옳고 그른지 하나의 답만 있는 게 아니랍니다. 같은 이야기를 가지고도 어떤 사람은 그것이 아름답다고 생각하고, 또 다른 사람은 추하다고 생각해요. 또 누군가는 그것이 재미있고, 누군가에게는 별로이기도 하죠. 그리고 어떤 것이 잔혹하다고 생각할 수도 있고, 착하거나 나쁘다고도 생각해요. 그 일이 옳다고 생각하는 곳도 있고, 그르다고 생각하는 곳도 있어요. 또 오늘은 안 된다고 했다가도, 내일은 그 일이 가능해지는 경우도 있답니다.

이처럼 절대적으로 진실이라는 것은 없지요. 인간의 세상에는 오로지 이게 답이라고 모두가 찬성하는, 완벽하게 진실인 해답은 존재하지 않습니다.

포스틴, 좀 더 깊이 생각해 보렴

선생님은 포스틴에게 동의하지 않는 이유에 대해 질문해요.

"나폴레옹은 수천 명의 사람들을 음식과 장화와 겨울옷도 없이 전장에 내보냈어요. 눈과 매서운 추위 속에서 나폴레옹 때문에 수천 명이 죽어 갔죠."

"그러니까 그것 때문에 나폴레옹이 이룬 모든 업적이 전부 아무것도 아니라는 말이니?"

선생님이 다시 질문을 해요.

포스틴은 '네, 당연하죠'라고 말하려다가 잠자코 입을 다물어요.

"포스틴, 좀 더 깊이 생각해 보렴."

선생님은 격려를 해 줍니다.

반 친구들이 하나씩 손을 들어요.

포스틴은 좀 더 생각을 파고들어 자신의 의견을 받쳐 줄 논증과 이유를 찾습니다. 묻혀 있는 보물을 찾으려고 땅을 파는 고고학자와 같은 심정으로 말이지요. 자, 왜 반대를 하는 것이 유용한지 알겠지요? 이유를 찾게 만들어 주거든요. 좀 더 생각을 깊이 파고들어 조사하고 질문을 던지게 해 주죠. 반대 안에서 또 반대를 하고, 찬성 안에서 또 찬성을 찾고, 그런 식으로 생각을 좇아가다 보면 시각, 의견, 아이디어, 생각은 모양을 갖추었다 깨지기를 반복하면서 전체를 이룹니다.

모든 것이 끝나요

한 나라에서 국민들에게 정치에 참여를 못 하게 하면 어떻게 될까요? 모든 신문이 하나같이 똑같은 기사를 쓰게 하고, 기자들은 침묵을 강요당해 아무 말도 할 수 없게 되면 과연 어떤 일이 벌어질까요?

지배층의 의견과 다른 의견을 가진 사람들은 감옥에 갇히고, 종교 지도자들에게 반대하지 못하도록 강요한다면 어떻게 될까요? 우리는 엄청난 위험에 빠질 거예요. 표현의 자유가 없으면 대화도 생각도 모두 끝이 날 거예요.

레아는 울고, 레오는 이유를 말해요

엄마는 레아의 작은 입에서 젖꼭지를 천천히 빼낸 다음 윗옷 단추를 잠가요. 레아가 금세 얼굴을 찡그리고 꼼지락거려요. 입술을 삐죽 내밀며 고개를 마구 내젓더니 갑자기 울음을 터트려요. 귀청이 떨어질 만큼 굉장한 울음소리예요!

레아는 젖을 그만 먹는 것에 찬성할 수 없었던 거죠. 그래서 소리를 지르며 운답니다.

레아의 이런 행동은 정상이에요. 레아는 말을 할 수가 없답니다. "엄마, 들어 보세요. 저는 아직도 배가 고파요. 제가 깜빡 잠이 들었을 뿐이라고요. 그러니까 얼른 젖을 먹게 해 주세요. 제가 그만 먹고 싶을 때 말씀 드릴게요"라고 말이죠. 몇 달 뒤에는 레아가 어쩌면 발로 톡톡 찰 수도 있을 거예요. 아니면 바닥에서 구르거나 테이블 밑에 숨을 수도 있겠지요.

레오 엄마가 오렌지 주스를 냉장고에 집어넣어요.

"조금만 더 주세요."

레오가 말해요.

"너 이미 500밀리리터나 마셨어, 레오."

엄마가 대답해요.

"오늘 오후에 두 시간이나 운동을 해서 몹시 목이 말라요."

"차라리 물을 마시렴. 주스는 당분이 많아서 안 돼."

"여기 함유 성분 좀 읽어 보세요. 무가당이래요, 엄마. 과일에 있는 당분이 나쁜 건 아니잖아요."

"그래, 하지만…"

레오는 엄마의 생각과 같지 않아요. 오렌지 주스를 더 마시려고 합당한 이유를 들어 엄마를 설득해요.

레오는 레아처럼 절대로 울부짖지 않아요. 테이블을 발로 차는 일도 없고요. "만약 절 사랑하신다면 오렌지 주스를 더 주세요"라는 식의 협박도 하지 않는답니다.

협박, 울음, 부드러운 눈빛, 고함, 위협, 매력, 토라짐, 아양, 문 쾅 닫기 등은 모든 사람이 알고 쓰는 언어라고 할 수 있어요. 이렇게 간단한 몸짓 언어가 있는데, 다른 언어를 사용하기란 쉽지 않겠지요. 하지만 우리가 말하는 언어는 말하는 사람도 완전히 이해하고 듣는 사람도 완전히 이해할 수 있는 논리적인 언어랍니다.

그레돌린이냐, 마르셀린이냐

내일은 학급 임원 선출을 위해 투표를 하는 날이에요.

"너 나한테 투표 안 하면 이제 내 친구 아니야."

그레돌린이 협박해요.

사라는 걱정이 돼요. 그레돌린이 그저 농담으로 하는 말이 아니라는 걸 알거든요.

"만약 내가 우리 반 반장이 되지 못하면 난 부모님한테 벌을 받게 될 거야."

그레돌린은 속마음을 라라에게 털어놓아요. 라라는 그레돌린이 가엾다는 생각이 들어요. 라라도 그레돌린의 부모님을 아는데, 무척 엄격하시거든요.

쉬는 시간에 그레돌린은 선거 운동을 계속해요.

"말리카, 너 원피스 예쁘다!"

그리고 그레돌린은 반 아이들 모두에게 사탕을 나눠 주었습니다.

"우리 아빠가 교장 선생님이랑 친구란 걸 잊지 마. 내가 당선되지 못하면 교장 선생님이 화내실 거야."

그레돌린은 아이들에게 못을 박아요.

그레돌린은 자기만의 방식으로 선거 운동을 해요. 겁주기, 마음에 호소하기, 띄워 주기, 마음 끌기, 한턱내기, 위협하기…. 그레돌린은 친구들의 감정에 호소하고 있네요.

한편 마르셀린은 차근차근 선거 공약을 정리해요. 마르셀린은 아이디어가 넘쳐요. 책가방을 보관하는 사물함 건의하기. 겨울에는 쉬는 시간을 줄이는 대신 봄에는 늘려 달라고 하기. 학교 식당 영양사 선생님께 다섯 가지 식단 제안하기. 종소리를 음악 소리로 바꾸기. 반에서 가장 멋진 남자아이와 여자아이 뽑기. 매주 토론회를 열어 이런저런 세상 이야기 나누기…

마르셀린은 선거에서 이기기 위한 자신만의 방법이 있답니다. 반 아이들이 자기에게 투표할 수 있는 이유를 만들어 주는 거죠. 좋은 반장이 될 거라는 것을 증명해 보이려고 애를 쓴답니다. 마르셀린은 친구들의 지혜와 이성에 호소하고 있네요.

얼마나 아름다운지!

까마귀가 치즈를 물고 나무에 앉아 있어요. 여우는 치즈 냄새에 입맛을 다시며 이렇게 말해요.

"와우! 까마귀 님, 안녕하세요! 정말 아름다우십니다! 내 눈에는 세상에서 가장 아름다우세요! 거짓말 하나도 안 보태고 까마귀 님의 노래 솜씨는 이 숲 속에서 누구도 못 따라올걸요."

다음 이야기는 다들 잘 알 거예요. 칭찬을 듣고 기분이 우쭐해진 까마귀는 자신의 아름다운 목소리를 들려주려다가 입에 물고 있던 치즈를 놓치게 된답니다.

사라, 라라, 말리카, 그리고 샘과 다른 아이들이 그레돌린에게 "응, 그래. 알았어", "그래, 난 너를 찍을게"라고 말할까요? 마치 까마귀가 치즈를 떨어뜨린 것처럼 그레돌린의 술수에 넘어갈까요? 아니면 마르셀린의 아이디어에 마음이 쏠릴까요?

속임수 감옥

유니시아 행성은 평화로운 곳이에요. 모두가 저마다 예쁜 집에서 꽃들을 가꾸며 살지요. 또 먹을 것이 넘쳐 나니 사는 데 아무 걱정이 없답니다.

그런데 이상하게 몇 주 전부터 행성의 주민들이 술렁대기 시작했어요. 짙은 회색 망토를 걸친 익제메농이 행성 곳곳을 돌아다니며 이런 행복이 오래가지 않을 거라고 떠들어 댔답니다.

소문은 눈덩이처럼 불어났어요. 심지어 누트리아 행성에서 유니시아를 멸망시키려고 무기를 만들고 있다는 말도 나돌았지요. 주민들은 불안해서 가만히 있을 수가 없었어요.

"그들은 일단 물에 독을 풀 겁니다."

익제메농은 아주 자신 있게 말했어요.

그 말에 온 유니시아 사람들이 두려움에 휩싸였어요.

그때 익제메농이 나지막한 목소리로 주민들을 안심시켰지요. 만약 자기가 이 행성의 대표가 된다면 누트리아의 침입을 막아 낼 좋은 방도가 있다고요. 선거에서 유니시아의 거의 모든 주민들은 익제메농을 찍었어요.

이제 익제메농은 모든 권력을 거머쥐게 되었답니다. 자신의 명령 하나면 세계를 박살 낼 수 있는 거대한 군대를 만들기 위해 계속해서 세금을 올렸어요. 누트리아 행성 사람들은 왜 유니시아 사람들이 그렇게 끔찍한 대표를 뽑았는지 이해할 수가 없어요.

익제메농은 교활한 연설로 행성 전체를 두려움에 떨게 했어요. 사람들을 두려움의 세계에 가둔 거지요. 익제메농의 말만 듣고 모든 사람이 두려움에 빠졌답니다. 유니시아 사람들은 두려운 나머지 침착하고 정확하게 생각하는 법을 잊어버린 거예요.

마력을 지닌 말은 영혼을 잠재우고, 지혜를 마비시키고, 이성을 사라지게 만들어서 사람들의 동의를 얻어내지요. 그러니까 이런 무서운 일에 빠지지 않기 위해서는 노력을 해야 해요. 속임수를 가려낼 수 있고 교활함, 사기, 아첨이 무엇인지 가려내는 방법을 배우는 것이 중요하죠. 자신을 쥐고 흔들려는 사람들로부터 자신의 의지를 고수하는 방법을 배우는 것은 중요하답니다. 그래서 어떤 일에 찬성해야 할 때 그저 아무런 논리 없이 찬성하지 않고 자신의 의지로 찬성하는 것을 배우는 것은 무척 중요한 일이랍니다.

개인의 취향

파올로는 등산을 좋아하고, 태권도를 좋아해요. 무술 영화와 추리물을 즐겨 본답니다. 그리고 면 음식과 카망베르 치즈를 좋아해요. 좋아하는 색깔은 오렌지색이고, 여행을 아주 싫어하며, 자주 머리가 아파요…. 자드는 댄스 음악을 즐겨 듣고 코미디 영화를 좋아해요. 수영과 철학 책과 초밥과 흰 치즈를 좋아하고요. 좋아하는 색깔은 노란색이고, 여행을 좋아하며, 추위를 많이 타지요…. 비비안은 랩과 초콜릿과 아주 살짝 익힌 스테이크를 좋아해요…. 디미트리는 테크노와 당근과 생선을 좋아해요…. 에이만은 파란색 눈의 여자를 좋아해요…. 이자

● 비에는 증오심이 강해요….

파올로, 자드, 비비안, 디미트리, 에이만, 이자비에는 서로 취향이 다른데도 잘 어울려 지내요. 사람은 어떤 것에 의견이 서로 다를 때가 있어요. 또 어떤 것은 일부러 애쓰지 않아도 금세 마음이 통하기도 하고요. 누군가는 슬퍼하거나 더위를 심하게 타고, 또 다른 누군가는 추상화를 좋아하는데, 그러지 못하게 설득한다는 것은 정말 우스운 일이겠죠.

"누구나 저마다 각기 다른 감각과 감정이 있고, 자기만의 취향이 있어요."

각자의 의견이 있나요?

- “연기자가 직업이 왜 아니라는 거죠?
- 난 그 말에는 찬성할 수 없어요.”
- “원래 그런데요, 뭘.”

“원래 그런데요, 뭘.” 이 말은 바로 코앞에서 문을 쾅 닫아 버리는 것과 같은 대답이에요.

- “그냥 놔둬요. 각자의 의견이 있잖아요.”

누군가 “각자의 의견이 있어요”라고 말하면 이 말을 듣는 사람은 순간 가슴이 콱 막혀서 더 이상 서로 말을 못 하게 되지요. 각자 자신의 의견을 지닌 채로 각자의 집으로 돌아갈 수밖에 없답니다.

이런 말을 하는 사람도 있을 거예요. “브라보! 다른 사람의 의견을 잘 받아들이는 것 좀 봐요. 얼마나 관대한지 몰라요!” 하지만 좀 더 생각해 보면 그저 무시하고 있는 것뿐이라는 사실을 알아차릴 수 있어요. 이것은 관대함과는 거리가 멀답니다.

“각자의 의견이 있어요”, “원래 그런데요, 뭘”, “나에게는 진실이에요”, “각자 나름대로 진실이 있답니다”, “내 마음이에요”, “그건 당신 생각이죠”…. 이런 문장들은 각자 자기 집에서 따로따로 지내며 그저 시간을 묻거나, 저녁식사에 대해 이야기하고, 시험에서 몇 점을 받았는지만 물어보는 식의 대화입니다. 또 앞으로 있을 시험이라든가, 다음 날 일기예보에 대한 말만 주고받으면서 사는 거죠. 자료를 교환하거나 정보를 공유하기 위해서만 말을 한다면 누가 그런 곳에서 살고 싶을까요?

우리 같이 가도 될까?

"난 동물 실험은 반대야."

가스파르의 말에 리자가 물었어요.

"왜 반대하는데?"

"너 지금 왜냐고 했니?"

가스파르가 깜짝 놀랐어요.

"동물을 아프게 해서는 안 돼! 실험 대상으로 동물이 죽어 가는 건 정말 끔찍한 일이야."

"그렇게 해서 인간의 병을 낫게 하는 약과 치료법을 발견하잖아."

가스파르는 잠시 생각에 잠겼어요.

"그렇더라도 동물을 상대로 립스틱 같은 화장품까지 테스트하는 건 옳지 않아."

리자는 미처 거기까지는 생각해 보지 않았답니다. 그래서 곰곰이 생각한 뒤에 이렇게 말했어요.

"거기에 대해서는 나도 네 의견에 찬성해. 하지만 의약품은 다르지 않을까?"

가스파르는 뒤통수를 긁적거렸어요. 틀린 말은 아니었거든요. 사람을 상대로 실험을 하는 건 너무 위험한 일이니까요.

"식물이나 뭐 다른 것으로 실험해 볼 수는 없을까?"

리자는 뭔가 좋은 방법을 궁리해 보았어요.

"두고 봐, 동물 말고 다른 것으로 실험하는 것은 비용이 더 많이 들 거라고 할 거야."

"그런데 누가 그렇게 이야기한다는 말이야?"

가스파르가 물었어요.

리자가 다시 생각에 잠겼어요. 이런 실험을 하기로 결정하는 사람이 누군지 모르기 때문에 자세히 설명하기가 어렵답니다.

"그래서 네 생각에는 다른 선택은 없다는 거야? 좋은 방법이 없는 거냐고?"

가르파르가 다그치듯 물었습니다.

"잘 모르겠어."

"일단 동물 실험을 해서 만든 물건은 모두 사지 말자."

"하지만 네가 만약 약이 필요하면? 나는 사람을 치료하는 게 우선이라고 생각해. 사람의 목숨은 동물 천 마리와도 바꿀 수 없는 거잖아. 안 그래?"

"아니, 난 반대야."

이렇게 말씨름이 끝없이 계속됩니다…

가스파르는 리자와 함께 있고 싶어요. 서로 의견을 나누며 새로운 생각을 내놓지요. 논리적으로 설명하고 한 번도 생각해 보지 않았던 질문을 떠올린답니다. 의심할 필요도 없이 가스파르와 리자는 좋은 순간을 함께 보내고 있어요.

아마 둘의 의견이 완전히 일치하는 일은 절대 없을 거예요. 그렇지만 가장 중요한 것에는 찬성을 합니다. 대화와 설득을 통해서 말이에요.

가르파르와 리자는 이러한 의견 대립 때문에 사이가 나빠지는 일은 없을 거예요. 대화는 생각을 하게 하고 생각을 좀 더 발전시켜 주는 하나의 에너지랍니다.

모두 찬성합니다!

시계가 오후 7시 57분을 넘어 58분을 가리켰어요. 거리에는 개미 새끼 한 마리도 없었지요. 모든 국민들이 텔레비전 앞에 모여 있었답니다. 7시 59분. 이제 정확하게 1분만 있으면 누가 대통령이 되는지 결정이 나지요.

7시 59분 50초… 58초, 59초, 드디어 8시가 되고 마르티농의 얼굴이 화면에 나왔어요. 마르티농이 이겼답니다. 마르티농은 1,200만 표를 얻었고, 뒤랑은 1,100만 표를 얻었지요.

라파엘은 기뻐서 춤을 추었어요. 라피카도 덩달아 펄쩍펄쩍 뛰었지요. 네스토르는 두 손으로 머리를 감싸 쥔 채 주저앉았어요. 세실리아는 울음을 터트렸고요. 카티아는 샴페인을 터트렸고, 림은 샴페인 잔을 가지러 갔답니다.

이제 무슨 일이 일어날까요? 1,100만 명의 국민들이 울음을 터트리며 대통령이 된 마르티농을 끌어내리기 위해 싸움을 일으킬까요? 그렇지 않아요. 모두가 투표 결과를 받아들이지요. 이 나라는 환상적인 동의안을 찾았어요. 반대 의견을 가진 사람들도 다 같이 평화롭게

사는 방안을 마련했답니다.

대통령을 선출하는 방법에 대해 서로 합의한 뒤 대통령을 뽑아서 그 의견에 따르기로 한 것이지요. 열아홉 살이 넘으면 투표권이 생깁니다. 후보 중에서 국민의 표를 가장 많이 받은 사람이 대통령이 됩니다. 임기는 5년이며, 투표방식은 비밀투표예요. 이 밖에도 다른 법들이 많이 있어요. 이 나라에서는 모든 국민이 같은 의견을 가지는 것은 불가능하다는 걸 알기 때문에, 서로 의견을 나눈 뒤에 합의하여 법을 정하고 그 법에 따르지요.

다 보는 것은 불가능해요

"직진, 직진!"

"나도 알아. 하지만 안 된다니까! 바깥을 좀 봐. 공사 중이잖아. 왼쪽으로 돌아가야겠다."

"으악, 이게 뭐야. 우린 분명히 지각할 거야."

알렉스가 벌컥 화를 냈어요.

"도대체 이런 데에서 공사는 왜 하는 거야?"

게다가 릴리는 아주 천천히 차를 몰 수밖에 없었습니다. 오르막에다가 길이 좁고 구불구불했거든요.

"우리 너무 빙 돌아가는 거 아냐? 어디로 가는 거지?"

알렉스가 도로 지도를 펼쳐보며 물었어요. 이쪽 길로는 한 번도 와 본 적이 없거든요.

"알렉스, 오른쪽 좀 봐."

그때 릴리가 갑자기 환성을 지르며 말했어요.

"아름답지 않니?!"

알렉스는 지도에서 눈을 떼고 고개를 들어 밖을 내다보았습니다.

"우와! 어디 근처에 차 좀 세워 봐. 구경 좀 하자."

알렉스와 릴리는 늘 다니던 길에서 벗어났어요. 낯선 길을 가려니 당연히 화가 났겠죠. 하지만 뜻밖의 선물이 있네요! 새로운 길에서 아름다운 경치를 발견했답니다.

지금까지 이런 데가 있다는 걸 알지 못했지요.

"이 동네에서 몇 년씩이나 살면서 어떻게 여기에 한 번도 안 와 볼 수 있었지?" 알렉스는 깜짝 놀랐지요.

놀라워!

다른 사람과 대화를 하다 보면 알렉스와 릴리처럼 의견 대립으로 토닥거릴 수 있어요. 그러다가 내 생각과는 조금 다른 쪽으로 흘러가거나 아예 완전히 다른 생각이 툭 튀어나오기도 해요. 그런데 알렉스와 릴리처럼 뜻밖의 기쁨을 만날 기회를 맞기도 해요. 새로운 의견, 흥미로운 상상. 다른 방식으로 세상을 볼 수 있답니다.

멋지다!

생각이 바뀌었다고?

"정말로 이해가 안 된다. 넌 늘 죽는 게 두렵다고 했었잖아!"

"그래, 하지만 지금은 잘 모르겠어. 빅토르 위고의 『사형수 최후의 날』을 읽었는데, 솔직히 지금은 내 생각이 확실하다고 말 못 하겠어."

올리비아는 자신의 생각에 의문을 품어요. 빅토르 위고의 책을 읽으며 죽음의 고통에 반대되는 논리를 만나게 되었거든요. 그동안 한 번도 생각해 보지 않았던 것이었답니다.

"어머! 너 전에는 안 그랬잖아! 네 아이들한테 아티스트가 무슨 직업이냐는 말을 했던 것 같은데."

"그래, 맞아. 하지만 내 생각이 틀렸어. 배우와 꼭두각

시 인형놀이를 하는 사람을 만났거든. 그 사람들이 자기 직업에 대해 하는 말을 들으니까 생각이 달라지더라고."

모리스는 스스로에게 질문을 해요. 자신의 생각이 과연 틀렸는지 물어본답니다. 그리고 자신에게 다시 질문하기 시작해요.

올리비아와 모리스는 모두 큰 장점을 갖고 있답니다. 자신의 의견보다 더 강한 의견이나 더 설득력 있는 논리에 맞닥뜨렸다는 것을 인정할 수 있어요. 올리비아와 모리스는 자신의 의견을 되짚어 보며, 자신의 의견이 틀렸다고 자신 있게 말할 수 있지요. 그리고 생각을 바꿔 나갈 용기도 있답니다.

에이, 겁쟁이!

"시몬, 이리 와 봐. 우리 펠릭스의 코트 주머니에 겨자를 집어넣자."

콜레트와 자네트가 귓속말로 소곤거려요.

"카멜과 알렉상드르도 올 거야."

시몬은 머뭇거려요.

"야, 너 뭘 망설이는 거야?"

콜레트가 물어요.

"겁쟁이처럼 굴지 마."

자네트가 옆에서 거들어요.

시몬이 어떤 결정을 할지는 몰라요. 하지만 친구들에게 말하기가 얼마나 어려울지는 짐작하고도 남지요. "나는 안 가, 찬성 못 해." 이처럼 아니라고 말하기 위해서는 용기가 필요해요. 남들에게 나쁘게 보이는 것, 외톨이가 되는 것, 소외당하는 위험을 늘 감수해야 한답니다.

죽음의 위험

세상에는 남과 반대되는 의견을 당당히 말하다가 목숨이 위태롭게 되는 경우가 종종 있습니다. 많은 사람들이 위협을 당하거나 숨어 지내야 하고, 감옥에 가거나 고문을 당하기까지 해요. 심지어 살해당하는 일도 있지요. 왜냐하면 권력을 가진 사람의 행동을 비판하거나, 종교적인 문제나 정치적 이념에 문제를 제기했기 때문이에요. 남들은 하기 어려운 용기를 낸 것이지요.

텔레비전에서 그랬어요

"엄마, 이 샴푸 사 주세요."

"왜 꼭 이걸 사야 하는데?"

"이 샴푸는 머리카락을 더 빨리 나게 해 줘요."

카롤린이 말했어요.

"근데 너 어떻게 그걸 알았니? "

"텔레비전에서 그렇게 말했단 말이에요."

다섯 살밖에 안 된 카롤린은 텔레비전에서 말하는 것을 모두 믿지요.

"진짜야. 우리 아빠가 그랬어", "울 엄마가 그랬는데…", "진짜야, 여기 봐, 신문에 나와 있잖아."

어렸을 때에는 어른들이 얘기하는 것은 다 믿어요. 아빠가 파란 눈의 사람은 죄다 거짓말쟁이라고 하시면 그렇게 믿지요. 엄마가 시골 사람들은 친절하다고 하시면 그렇게 믿고요. 형이 여자아이들은 바보라고 하면 그런 줄로만 알아요.

태어나서 한 해 두 해 성장하면서 우리 안에는 의견들이 차곡차곡 쌓여 가요. 이것은 부모님, 친구, 선생님, 텔레비전, 신문 등 우리를 둘러싼 모두에게서 배운 것들이랍니다. 누구나 모두 이런 과정을 거친답니다.

뜻도 모르고 반대!

"데모는 어땠어요? 사람들이 많이 왔어요?"

"네. 만 명은 모였을 걸요. 그리고 내일 또 한대요. 그런데 '핵실험 반대, 핵실험 반대'라고 계속 외치다 보니 목이 너무 아파요."

윌리암이 콜록콜록 기침을 하면서 대답했어요.

"난 왜 핵실험을 반대하는지 정확히 모르겠어요. 자세히 설명 좀 해 줄 수 있어요?"

"어, 그래요, 그게… 알다시피, 그러니까… 하여튼 좀 복잡해요. 아무튼 다들 이건 파렴치한 행동이라고 하더라고요."

윌리암은 컴퓨터를 켜고 인터넷에서 '핵실험'을 검색했어요. 세상에! 수백 개의 사이트가 있었답니다. 윌리암은 그중에서 첫 번째 사이트를 열었습니다.

"와, 이 사이트에는 찬성하는 이야기가 있네. 타당성이 있는걸."

윌리암은 중요한 대목을 적으면서 중얼거렸어요. 그리고 계속해서 다른 사이트를 열었답니다. 또 찬성하는 이야기예요. 세 번째 사이트에는 반대하는 이야기가 나왔어요.

윌리암은 세 시간에 걸쳐 많은 사이트에서 찬성하거나 반대하는 입장을 논리 정연하게 쓴 글을 읽었어요. 그리고 정부 사이트에 들어가서 나라의 계획에 대해서도 알게 됐지요.

윌리암은 친구에게 전화를 걸었어요.

"너 시간 있어? 핵실험에 관해서 설명해 줄 게 아주 많거든."

다음 날 윌리암은 데모가 열리는 광장에서 친구들을 만났어요. 친구들에게 핵실험이 얼마나 비극적인 것인지 설명하고 무슨 수를 써서라도 그것을 막아야 한다고 설득했죠.

오늘 아침 윌리암은 자신이 어제 데모에 간 이유를 비로소 알았어요. 데모 대열에 끼어 행진을 하면서 소리 높여 외쳤던 슬로건의 의미를 알게 된 것이지요. 윌리암은 이해하지도 못한 채 주워들은 것을 그대로 반복하는 앵무새가 아니랍니다. 물론 어디로 가는지도 모르고 무리의 뒤를 따르는 양도 아니고요. 그는 바로 윌리암이에요. 다른 사람들의 의견을 자기 안에 받아들여 생각을 만들고 자신을 표현할 줄 아는 인간이랍니다.

그렇다고 할까? 아니라고 할까?

로레트는 아담의 뜻을 받아들여야 할지 망설였어요. 하지만 친구들은 로레트에게 성화를 부렸지요.

"설마 너 아니라고 대답하지는 않겠지! 아담은 우리 모두의 이상형이야. 우리가 너라면 얼마나 좋겠니? 얼른 대답해, 뭘 망설여!"

밤이 되어 혼자가 된 로레트는 여전히 마음을 정하지 못하고 있어요. 아담은 똑똑하고 좋은 사람인 데다가 부자이고 잘생기기까지 했지요. 더군다나 아담과 결혼한다면 로레트는 이 지역에서 스타가 될 거예요.

"어쩌면 게르만의 마음을 아프게 하는 게 겁나는지도 몰라."

로레트는 곰곰이 생각해 봅니다.

"하지만 게르만은 아무 생각이 없을지도 모르지. 혹시 게르만이 내 마음을 몰라준다고 화가 나서 아담이랑 결

혼하려는 건 아닐까. 하지만 뭐 어때? 그 바보 멍청이는 날 사랑한다고 고백하지도 않는데. 도대체 게르만이 무슨 생각을 하는지 모르겠어. 하지만 친구들은? 그리고 부모님은? 내가 아담의 청혼을 거절하면 다들 내게 화를 낼 텐데. 할 수 없지. 아닌 건 아니야. 분명히 그렇게 말해야겠어…."

로레트는 자기 자신과 아주 오랫동안 토론을 해요. 찬성과 반대 의견이 끊임없이 오가지요. 로레트는 친구와 부모님의 의견과 아담의 좋은 조건, 그리고 게르만을 향한 마음 때문에 이럴까 저럴까 망설여요. "나에게 가장 중요한 것이 뭐지?" 로레트는 자신에게 물어요. 영광? 돈? 사랑? 우정? 가족? 유명세?…

로레트는 아주 어려운 뭔가를 찾고 있어요. 바로 자신의 의견에 찬성할 수 있는 근거를 찾고 있답니다.

자신의 진짜 생각을 알기. 진심으로 원하는 것을 알기. 자신 안에서 생각을 만들기. 자신 안에서 관점을 찾기. 자신 안에서 원인을 찾기. 자신 안에서 논리적인 것을 찾기. 모두 엄청난 숙제가 아닐 수 없어요! 자신에게 동의를 구하는 것은 우리가 살면서 평생 동안 해야 하는 일이랍니다.

나만의 철학 맛보기 노트

진짜 철학 맛보기

가끔씩 친구들 두세 명 또는 여럿이서 모여 영화를 보거나 놀이를 하지요. 또 발표 숙제를 준비하거나 음악을 듣기도 하고요. 때로는 친구들과 있으면서 특별히 무언가를 하지 않을 때가 있는데, 이럴 땐 모두가 관심 있어 하는 주제에 대해 대화를 나누어 보세요.

대화를 하다 보면 부모님, 선생님, 친구, 사랑, 전쟁, 부끄러움, 불공평 등 다양한 주제로 이야기가 이어져요. 그러면서 우리는 다른 세상을 꿈꾸지요!

그러다가 밤이 되어 혼자가 되면 그 주제에 대해 다시 생각합니다.

진짜 철학 맛보기

다른 사람들과 세상의 모든 것에 대해 이야기를 나눌 수 있다는 것은 정말 좋은 일이에요. 물론 자기 말만 하고 도무지 남의 이야기를 들으려고 하지 않는 사람들과 있으면 의견 차이를 좁히지 못해 화가 날 때도 있지만요.

하지만 의견이 다르면 좀 어때요! 우리가 함께 정한 주제에 대해 자유롭게 이야기하고 토론하는 것이 더 중요하지 않을까요? 자기 집이나 친구 집, 학교에서도 이야기를 나누면 어떨까요?

진짜 철학 맛보기

진짜 철학 맛보기에 성공하고 싶다면 몇 가지 주의할 것들이 있답니다.

- 대화 참여자 수는 10명 이내로 하는 것이 좋아요.
- 마실 음료와 간식을 미리 준비해 두면 좋고요!
- 바닥에 앉아도 좋고, 각자 편한 자세로 자유롭게 대화를 나누는 겁니다. 둥글게 빙 둘러앉아서 한가운데에 음식을 놓을 수도 있습니다.

진짜 철학 맛보기

- 대화 주제를 미리 정한 것이 아니라면 누군가가 나서서 여러 가지 주제를 제안할 수 있지요.

- 각자 가장 마음에 두고 있는 주제를 내놓습니다. 자신의 선택을 미리 말해서 다른 사람에게 영향을 주지 않도록 주의해야 해요.

- 가장 인기 있는 주제를 투표로 결정합니다. 한 사람당 한 가지 주제만 선택할 수 있어요.

- 가장 많은 표를 받은 주제가 바로 오늘의 대화 주제가 되는 것입니다.

진짜 철학 맛보기

상대의 말에 귀를 기울이고, 서로 싸우지 않으면서 나와 다른 의견을 받아들여야 합니다. 그리고 모두에게 말할 수 있는 공평한 기회를 주어야 해요. 그러려면 어떻게 해야 하는지 다음 내용을 읽어 보고 실천해 봅시다!

자, 이제 시작할까요?
한 시간 정도 대화를 나눠 보세요!
뜻깊은 하루가 될 거예요!

진짜 철학 맛보기

찬성과 반대

과일 주스와 과자도 있고 대화의 주제도 벌써 준비되어 있군요! 오늘의 주제는 바로 '찬성과 반대'입니다. 만약 대화를 바로 시작하기 어렵다면 다음과 같이 해 봅시다. 서로 멀뚱멀뚱 쳐다보기만 하고 아무도 말을 하지 않을 경우도 있을 테니까요.

- 21쪽에서처럼 우리가 레오의 입장이라면 오렌지 주스를 더 마시기 위해 어떤 행동을 할까요?

진짜 철학 맛보기

찬성과 반대

- 28~29쪽의 익제메농처럼 사람들에게 두려움을 주는 사람을 알고 있나요? 이 행성의 사람들을 어떻게 보호할 수 있을까요? ________________

____

- 35~38쪽의 가스파르와 리자가 나누는 대화에 함께해 볼 사람이 있나요? 동물 실험에 반대해야 할까요, 찬성해야 할까요?

____

____

- 45~46쪽의 올리비아와 모리스처럼 자신의 생각을 바꾼 적이 있나요? 생각을 바꾼 이유는 무엇인가요?

____

____

진짜 철학 맛보기

찬성과 반대

친구들과 대화할 때 이 책을 활용해 보세요. 한 친구가 먼저 본문의 일부 또는 일화 한 편을 읽습니다. 그런 다음에 이와 비슷한 경험을 한 사람이 자신의 이야기를 들려줍니다. 그러고 나서 본문의 내용이 무엇을 의미하는지 서로 이야기를 나누세요.

스스로에게 질문을 할 수도 있고 다른 사람에게 질문을 할 수도 있어요. 질문에 대한 대답을 함께 찾아보세요. 확실한 대답을 찾기 어려운 질문도 있습니다. 왜냐하면 질문 속에 또 다른 문제들이 숨어 있거든요.

진짜 철학 맛보기

찬성과 반대

몇 가지 예들을 생각나는 대로 적어 보면 다음과 같아요. 다음 질문에 전부 대답하려면 아마 몇 시간은 걸릴 거예요!

"다른 사람들과 언제나 의견이 같아야 하나요?"

"대립을 해결하려면 어떻게 해야 할까요?"

"사람들과 어울려 살아가려면 어떤 의견을 같이해야 할까요?"

"모든 의견에 찬성을 하지 않아도 좋은 친구가 될 수 있나요?"

"의견과 아이디어의 차이는 무엇인가요?"

"'자신에게 찬성한다'라는 것은 어떤 뜻인가요?"

이제 여러분이 대답할 차례예요!
철학 맛보기 시간!
여러분의 생각을 표현해 보세요!

내 생각은…

내 생각은…

내 이야기는...

철학 맛보기 시리즈

〈철학 맛보기〉 시리즈는 계속해서 출간될 예정입니다.

01 사람이 죽지 않으면 어떻게 될까요? – 삶과 죽음

02 돈은 마술 지팡이 같아요 – 일과 돈

03 시간을 우습게 볼 수 없어요 – 시간과 삶

04 힘센 사람이 이기는 건 이제 끝 – 전쟁과 평화

05 알 수 없는 건 힘들어요 – 신과 종교

06 이건 불공평해요! – 공평과 불공평

07 왜 남자, 여자가 있나요? – 남자와 여자

08 지식은 쓸모가 많아요 – 아는 것과 모르는 것

09 좋은 일? 나쁜 일? – 선과 악

10 거짓말은 왜 나쁠까요? – 진실과 거짓

11 우리는 자연 속에 있어요 – 자연과 환경 오염

12 내가 만약 어른이 된다면 – 아이와 어른

13 나는 누구일까요? – 존재한다는 것

14 대장이 되고 싶어요 – 대장이 된다는 것

15 내가 결정할 거예요 – 자유롭다는 것